Pour Betsy et Ron

© 2008 Editions Mijade
18, rue de l'Ouvrage
B-5000 Namur

© 2007 - Ellen Stoll Walsh
Titre original : Mouse Shapes
Harcourt Brace Jovanovich (New York)

ISBN 978-2-87142-641-7
D/2008/3712/12

Imprimé en Belgique

Ellen Stoll Walsh

Trois souris en papier

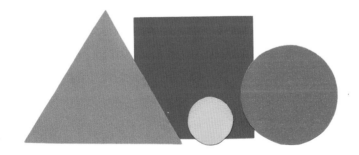

Mijade

Les souris sont poursuivies par le chat.
Vite, elles se sauvent ...

…et trouvent une bonne cachette.

Le temps passe. Le chat ne se montre pas.
Alors, les souris sortent.

«Regardez notre cachette!» dit la première souris.
«Ce sont des formes découpées dans du papier.
On peut fabriquer des choses avec des formes.»

Elle prend un carré et elle pose un triangle dessus.

«Voici une petite maison», dit-elle.

«Exactement ce qu'il faut pour une petite souris.»

Avec un triangle et un rectangle,
la deuxième souris fait un arbre.
Avec un rond, la troisième souris fait le soleil.

Il reste quatre triangles. Ils ne se ressemblent pas.
Pourtant, ce sont bien des triangles car ils ont trois côtés.

Une souris dispose deux ronds sur un rectangle.
« C'est un chariot pour la petite souris
qui habite dans la maison », explique-t-elle.

Deux losanges côte à côte forment un livre.
La petite souris pourra le lire
si elle s'ennuie dans sa maison.

Avec un ovale, deux ronds et huit triangles,
on obtient un superbe poisson.

Mais attention, le chat aime le poisson.
Cela risque de le faire venir.

En parlant de chat, trois ronds, trois triangles,
et le voilà !

Quatre triangles font les dents.
Comme il est ressemblant !
Pour un peu, il miaulerait...

Mais voilà que le chat arrive, le vrai, cette fois!

Les trois souris s'enfuient…

…et elles se cachent jusqu'à ce qu'il soit parti.

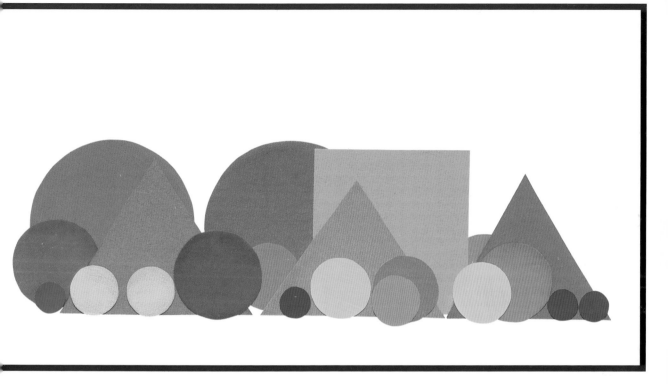

Pauvres petites souris! Si seulement elles n'étaient pas
si petites, elles pourraient se défendre. Oh, mais…

…avec les formes, tout devient possible!
Les trois souris futées se mettent à l'ouvrage.

Elles construisent trois souris en papier…

...qui font peur au chat!

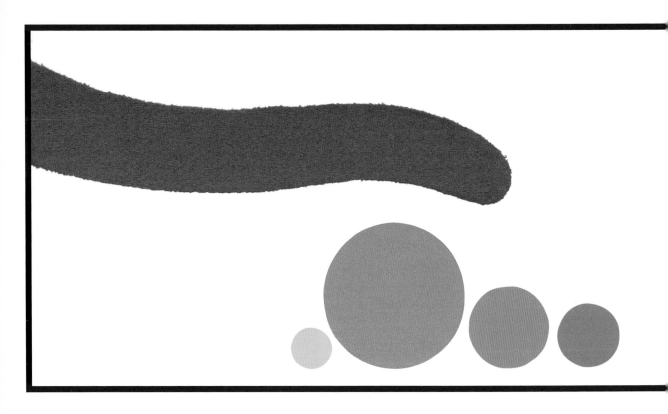

Le chat prend la poudre d'escampette. Quel froussard !
Quand il est parti, les trois souris retournent à leur jeu.

Et pour la petite souris qui habite
dans la petite maison, elles imaginent…

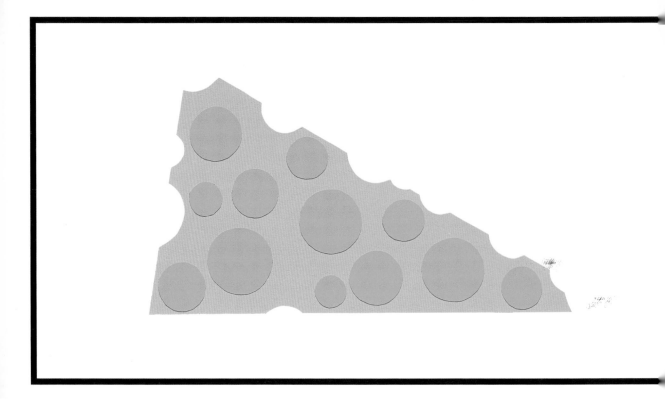

...un succulent dîner.
Bon appétit, petite souris!